让开放的春风温暖世界

——在第四届中国国际进口博览会开幕式上的主旨演讲

（2021年11月4日）

习 近 平

人民出版社

图书在版编目(CIP)数据

让开放的春风温暖世界:在第四届中国国际进口博览会开幕式上的主旨演讲/习近平 著.-北京:人民出版社,2021.11
ISBN 978-7-01-024294-1

Ⅰ.①让…　Ⅱ.①习…　Ⅲ.①习近平-讲话②对外开放政策-中国　Ⅳ.①D2-0②F125.1

中国版本图书馆 CIP 数据核字(2021)第 236749 号

(RMC-ZJDXI-118-20211104)

让开放的春风温暖世界

RANG KAIFANG DE CHUNFENG WENNUAN SHIJIE

——在第四届中国国际进口博览会开幕式上的主旨演讲

(2021 年 11 月 4 日)

习　近　平

人民出版社 出版发行
(100706　北京市东城区隆福寺街 99 号)

北京新华印刷有限公司印刷　新华书店经销

2021 年 11 月第 1 版　2021 年 11 月北京第 1 次印刷
开本:880 毫米×1230 毫米 1/32　印张:0.25
字数:3 千字

ISBN 978-7-01-024294-1　定价:2.00 元

邮购地址 100706　北京市东城区隆福寺街 99 号
人民东方图书销售中心　电话 (010)65250042　65289539

让开放的春风温暖世界

——在第四届中国国际进口博览会
开幕式上的主旨演讲

（2021 年 11 月 4 日）

中华人民共和国主席　习近平

尊敬的各位国家元首、政府首脑，
尊敬的各位国际组织负责人，
尊敬的各代表团团长，
各位来宾，
女士们，先生们，朋友们：

大家好！很高兴在第四届中国国际进口博览会开幕之际，同大家"云端"相聚。首先，我谨代表中国政府和中国人民，并以我个人的名义，向各位嘉宾，表示热烈的欢迎！向各位新老朋友，表示诚挚的问候和美好的祝愿！

中国历来言必信、行必果。我在第三届进博会上宣布的扩大开放举措已经基本落实。海南自由贸易港跨境服务贸易负面清单已经出台，自由贸易试验区改革创新不断推进，外资准入持续放宽，营商环境继续改善，中欧投资协定谈判业已完成，区域全面经济伙伴关系协定国内核准率先完成。中国克服新冠肺炎疫情影响，推动对外贸易创新发展，是去年全球唯一实现货物贸易正增长的主要经济体，为保障全球产业链供应链稳定、推动世界经济复苏作出了重要贡献。

女士们、先生们、朋友们！

当前，世界百年变局和世纪疫情交织，单边主义、保护主义抬头，经济全球化遭遇逆流。有关研究表明，10 年来“世界开放指数”不断下滑，全球开放共识弱化，这值得高度关注。逆水行舟，不进则退。我们要把握经济全球化发展大势，支持世界各国扩大开放，反对单边主义、保护主义，推动人类走向更加美好的未来。

开放是当代中国的鲜明标识。今年是中国加入世界贸易组织 20 周年。20 年来，中国全面履行入世承诺，中国关税总水平由15.3%降至7.4%，低于9.8%的入世承诺；中国中央政府清理法律法规2300多件，地方政府清理19万多件，激发了市场和社会活力。新冠肺炎疫情发生以来，中国向国际社会提供了约3500亿只口罩、超过40亿件防护服、超过60亿人份检测试剂、超过16亿剂疫苗，积极推动国际抗疫合作，支持向发展中国家豁免疫苗知识产权，用实际行动践行承诺、展现担当。

20年来，中国经济总量从世界第六位上升到第二位，货物贸易从世界第六位上升到第一位，服务贸易从世界第十一位上升到第二位，利用外资稳居发展中国家首位，对外直接投资从世界第二十六位上升到第一位。这20年，是中国深化改革、全面开放的20年，是中国把握机遇、迎接挑战的20年，是中国主动担责、造福世界的20年。

加入世界贸易组织以来，中国不断扩大开放，激活了中国发展的澎湃春潮，也激活了世界经济的一池春水。

加入世界贸易组织20年来中国的发展进步，

是中国人民在中国共产党坚强领导下埋头苦干、顽强奋斗取得的，也是中国主动加强国际合作、践行互利共赢的结果。

在此，我愿对所有参与和见证这一历史进程、支持中国开放发展的海内外各界人士，表示衷心的感谢！

女士们、先生们、朋友们！

“见出以知入，观往以知来。”一个国家、一个民族要振兴，就必须在历史前进的逻辑中前进、在时代发展的潮流中发展。中国扩大高水平开放的决心不会变，同世界分享发展机遇的决心不会变，推动经济全球化朝着更加开放、包容、普惠、平衡、共赢方向发展的决心不会变。

第一，中国将坚定不移维护真正的多边主义。以世界贸易组织为核心的多边贸易体制，是国际贸易的基石。当前，多边贸易体制面临诸多挑战。中国支持世界贸易组织改革朝着正确方向发展，支持多边贸易体制包容性发展，支持发展中成员合法权益。中国将以积极开放态度参与数字经济、贸易和环境、产业补贴、国有企业等议题谈判，维护多边贸易体制国际规则制定的主渠道地位，维护全球产业链、供应链稳定。

第二，中国将坚定不移同世界共享市场机遇。中国有14亿多人口和4亿以上中等收入群体，每年进口商品和服务约2.5万亿美元，市场规模巨大。中国将更加注重扩大进口，促进贸易平衡发展。中国将增设进口贸易促进创新示范区，优化跨境电商零售进口商品清单，推进边民互市贸易进口商品落地加工，增加自周边国家进口。中国将推进内外贸一体化，加快建设国际消费中心城市，发展“丝路电商”，构建现代物流体系，提升跨境物流能力。

第三，中国将坚定不移推动高水平开放。中国将进一步缩减外资准入负面清单，有序扩大电信、医疗等服务业领域开放。中国将修订扩大《鼓励外商投资产业目录》，引导更多外资投向先进制造业、现代服务业、高新技术、节能环保等领域，投向中国中西部和东北地区。中国将在自由贸易试验区和海南自由贸易港做好高水平开放压力测试，出台自由贸易试验区跨境服务贸易负面清单。中国将深度参与绿色低碳、数字经济等国际合作，积极推进加入《全面与进步跨太平洋伙伴关系协定》、《数字经济伙伴关系协定》。

第四，中国将坚定不移维护世界共同利益。中国将积极参与联合国、世界贸易组织、二十国集团、亚太经合组织、上海合作组织等机制合作，推动加强贸易和投资、数字经济、绿色低碳等领域议题探讨。中国将支持疫苗等关键医疗物资在全球范围内公平分配和贸易畅通。中国将推动高质量共建"一带一路"，使更多国家和人民获得发展机遇和实惠。中国将积极参与应对气候变化、维护全球粮食安全和能源安全，在南南合作框架内继续向其他发展中国家提供更多援助。

女士们、先生们、朋友们！

"孤举者难起，众行者易趋。"新冠肺炎疫情阴霾未散，世界经济复苏前路坎坷，各国人民更需要同舟共济、共克时艰。中国愿同各国一道，共建开放型世界经济，让开放的春风温暖世界！

谢谢大家。